글쓰기가
필요할 때

글쓰기가 필요할 때

발행 | 2024년 8월 8일
저자 | 이난숙
펴낸이 | 한건희
펴낸곳 | 주식회사 부크크
출판사등록 | 2014.7.15.(제2014-16호)
주소 | 서울특별시 금천구 가산디지털1로 119 SK트윈타워 A동 305호
전화 | 1670-8316
이메일 | info@bookk.co.kr

ISBN | 979-11-419-5333-1

www.bookk.co.kr

살면서 만나는 상황과 고민을 **셀프 치유**하는 **글쓰기 테라피** 52주

글쓰기가 필요할 때

이난숙 지음

부크크

살면서 맞닥뜨리는 다양한 상황과 고민 해결 방법, 글쓰기!

다른 건 몰라도 글쓰는 건 쉬웠다. 어릴 때부터 일기든 감상문이든 소설이든 끄적끄적 글을 써서 내 마음을 표현하는 순간이 즐겁고 좋았다. 대학을 졸업하고 나서는 전공인 경제학 대신 좋아하던 글과 관련된 직업을 통해 먹고살았다. 처음 들어간 출판사 생활은 녹록지 않았고, 내가 쓰고싶은 글이 아닌 남이 원하는 글을 써야 했던 자유기고가 시절엔 맥이 빠졌으며, 다른 이의 원고를 줄창 들여다봐야 했던 출판사 편집장 역할은 재미가 없었다.

결혼과 세 자녀 육아를 거치며 글쓰기는 내 삶에서 멀어져갔다. 그러자 마음 속에 계속 무언가가 고이고 쌓여갔다. 터뜨려야 할 때 터지지 못한 물집처럼 내 안에 마음의 이야기, 감정의 이야기들이 고여 씩은내를 풍기고 있을 무렵 치유글쓰기를 만났다. 그동안 이 모양 저 모양으로 열심히 살아내느라 잊고 있던 나 자신에 대한 이야기를 마음껏 쓰고, 어디서 나오는지 모를 눈물을 흘리며, 나는 조금씩 정화되어갔다. 나도 몰랐던 나, 진정한 나 자신을 발견하고 화해하니 너가 보이고 우리가 보였다. 나와 너, 우리가 글쓰기를 통해 만나 어우러지고, 서로 보듬어 안으며 서로가 서로를 치유케 했다. 글쓰기의 치유적 힘에 빠져 자기치유글쓰기로 여러 사람들을 만난 후에는 단지 좋은 텍스트를 읽기만 하는 것에 그치지 않고 다양한 글쓰기 기법을 적용시켜 자기 내면을 들여다보고, 자신을 있는 그대로 수용하며, 결국엔 다른 이들과 세상에 따뜻한 시선을 던질 수 있었으면 좋겠다는 욕심이 생겼다. 이 졸작은 그런 욕심의 소산물이다.

글을 쓰라고? 글이라는 말에 벌써 지레 겁먹고 책을 덮어버리려는 성급한 독자가 있을 것 같아 미리 밝혀두자면, 이 책에서 하는 글쓰기는 잘 쓸 필요가 전혀 없는 긴장감 제로의 글쓰기다. 왜냐하면 글쓰기의 독자는 다른 누구도 아닌 자기 자신이며 그저 글을 통해 자신의 잊혀졌던 내면과 억눌렸던 감정을 만나고 그것들에 대해 솔직하고 꾸밈없이 쓰기만 하면 되기 때문이다. 그 누구도 여러분이 쓴 글을 평가해 점수를 매기거나 첨삭하지 않는다. 그러니 부디 안심하고 글을 쓰시기를!

글을 쓸 때는 가능한 빨리, 15분 이내에 쓰는 것이 좋다. 우리의 뇌는 너무 생각이라는 것에 충실해서 조금만 틈을 보이면 생각하려 든다. 잘 써야 한다는 생각, 이런 걸 써도 되냐는 생각, 이런 걸 써서 뭐하냐는 생각 등등. 머릿속에서 스스로 자기 글을 검열하지, 판단하지 않게 하기 위한 방법이 바로 빠르게 쓰기다. 그래야 자신이 정말 하고 싶은 저 깊은 내면의 말을 쓸 수 있다. 살면서 누구나 맞닥뜨릴 만한 다양한 상황과 고민을 주어진 글쓰기 방법대로 오래 생각하지 않고 빠르게 글을 써보는 것, 그렇게 쓴 글을 읽어보면서 스스로 자신을 성찰하는 것, 이것이 이 책에서 제시하는 자기치유글쓰기의 핵심이자 유일한 방법이다.

2024년 7월

자기치유글쓰기를 사랑하는 저자가

차례

2장 가족으로 인해 힘들고 지칠 때

3장 사회(관계) 생활이 힘겹다고 느낄 때

4장 무상한 세월(시간) 속에 불안하고 두려울 때

1장

나를 이해하며 보살피고 싶을 때

1주

나는 과연 어떤 사람인지
잘 모르겠을 때

당신 이름은 무엇입니까? 그 이름에는 어떤 뜻이 있습니까? 이름과 관련된 최초의 기억은 무엇인가요? 또 별칭이나 애칭, 인터넷에서 사용되는 닉네임이 있나요? 그 이름들은 또 어떤 뜻이 있습니까? 당신 이름은 곧 당신이 누구인지, 어떤 삶을 살아왔는지 말해줄 것입니다. 이름에 대한 이해를 바탕으로 당신이 누구인지 소개하는 글을 써보세요. 자기소개서일 수도, 내가 나를 인터뷰하는 형식일 수도 있습니다. 어떤 형태든 이 시간, 진정한 당신 자신을 만나보세요.

과거의 잘못에서
헤어나오지 못할 때

살아오면서 실수했거나 잘못했던 일을 떠올려보고 그 장면들을 솔직하게 써보세요. 그 실수와 잘못으로 인해 내 인생에 무엇이 달라졌나요? 왜 당신은 지난날 잘못된 일을 잊고 지금 현재를 새롭게 살지 못하는 걸까요? 죄책감으로 인해 내가 잃은 것과 얻은 것이 있다면 그 부분도 함께 써보세요.

가끔 아무 일도 아닌 일에 울컥할 때

내 안에는 누구나 울고 있는 어린아이가 있습니다. 상처받고 힘겨워 울고 있는 그 어린아이에게 현재 어른이 된 내가 하고싶은 말을 편지로 써보세요. 또 반대로 그 어린아이가 지금의 나에게 말할 수 있도록 기회를 주세요. 어린아이인 나와 현재의 내가 만나 서로를 이해하고 화해하는 글을 써본 지금, 당신의 마음은 어떤가요? 아직도 불끈불끈, 가슴 속에서 알 수 없는 감정 덩어리가 올라오나요?

자신에 대해 자꾸 부정적인 생각이 들 때

인지치료의 창시자 아론 벡은 저서 『사랑만으로는 살 수 없다』에서 머릿속에 번쩍하고 스쳐 지나가는 자동적 사고가 분노나 슬픔 같은 정서적 반응을 유발하며, 비난하고 싶은 충동도 일으킨다고 말합니다. 그리고 이 부정적인 자동적 사고를 합리적 반응으로 바꾸는 것이 살아가는데 도움이 되는 인지치료 방법이라고 했지요. 자, 이제 우리는 자신의 성격이나 행동, 몸, 생각 패턴에 대해 했던 부정적인 말을 긍정적 말로 바꾸는 연습을 하려 합니다. 예를 들면, "나는 행동이 느려." → "나는 조심성이 많고 신중해." 이렇게요. 이런 문장을 가능한 빨리, 많이 써보세요. 긍정의 언어를 사용하다보면 생각도 긍정적으로 변할 수 있습니다.

낮은 자존감으로 인해 소심해질 때

자존감은 자아존중감 즉, 자신이 자신을 존중하고 가치있다고 느끼는 것을 말합니다. 다른 누구도 아닌 바로 내가 나를 귀히 여긴다는 것이지요. 이 자존감이 너무 높은 사람이 있는 반면 너무 낮아 늘 위축되고 소심한 사람도 있습니다. 당신은 어떤가요? 만약 자존감이 낮아 나를 쓸모없는 사람처럼 여긴다면 내가 주인공이 되는 동화나 짧은 소설을 한번 써보세요. 내가 주연이 되어 이야기를 이끌어가는 드라마도 괜찮겠네요. 그런 일이 어떻게 가능하냐구요? 글쓰기는 가능합니다! 아무도 당신 글을 보는 사람이 없으니까요! 자유롭게, 실컷 당신을 살려주는 글을 쓰면서 당신 스스로 당신을 높여주세요.

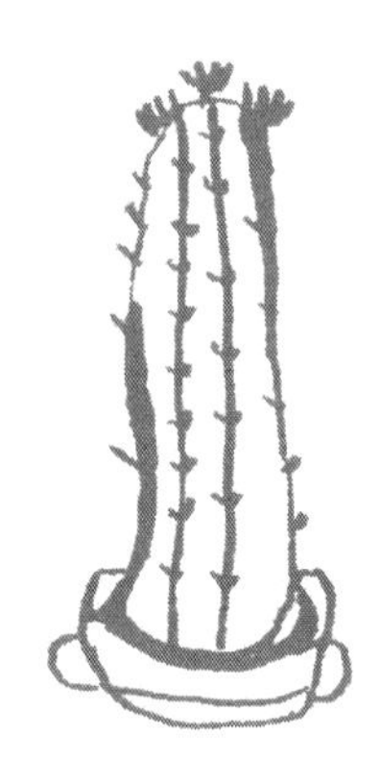

나 자신이
불쌍하고 안타까울 때

언뜻 생각하면 좀 무서울 것 같은 방법이지만 가능하면 어두울 때 유리 앞에 서서 유리에 비친 자신의 모습을 관찰해 보세요. 10분이고 20분이고 1시간이고 상관없습니다. 머리부터 발끝까지 자신의 모습을 잘 들여다보고 응시하세요. 거울이 아닙니다. 유리여야 합니다. 거울로 보는 것과 유리에 비친 자신을 보는 건 또 차이가 있습니다. 그렇게 계속 자신의 모습을 들여다보고 있노라면 어느 순간 마음 밑바닥에서 어떤 감정 덩어리가 훅 올라오며 자신에 대한 감정이 생겨날 것입니다. 그 감정이 시키는 대로 해보세요. 울고 싶으면 실컷 울고, 자신을 쓰다듬어주고 싶다면 그렇게 하세요. 어떠한 감정도 생기지 않는다면 하는 수 없습니다. 이렇게 해보고 그 과정에서 느낀 바를 글로 표현해보세요. 유리에 비친 자신을 바라보며 들었던 여러 가지 생각과 회한들을요. 가능하면 솔직히 쓰는 게 좋습니다.

무언가 계속 소비해야 자존감이 선다고 느낄 때

우리는 텔레비전, 인터넷, SNS, 지인들의 추천과 권유 등 끊임없이 무엇인가를 구매하고 소비하기를 강권하는 세상 속에서 살고 있습니다. 이게 필요해서 사면 또 다른 게 금방 필요해지고, 이 옷이 유행이라 사면 금세 다른 유행 아이템이 생겨납니다. 그렇게 끝없이 되풀이되는 소비를 하며 자존감을 세우려는 당신, 이런 글을 한번 써보세요. 명품으로 채우지 않아도 그 존재 자체만으로 귀하고 멋있는 당신 자신의 장점 리스트를 하나하나 써보는 겁니다. 그리고 돈을 써서 소비하는 것외에 당신을 행복하게 하는 것들도 생각해보세요. 지금 당신을 즐겁게 하는 심심풀이나 땀흘린 뒤 마시는 시원한 물 한잔처럼 소소하지만 확실한 행복도 있지 않을까요?

8주

내가 정말로 원하는 게
무엇인지 모르겠을 때

내가 원하는 것이 무엇인지 정말 잘 모르겠다는 분들이 의외로 많습니다. 싫어하지 않으니 좋아하는 것 같은데 딱히 그게 내가 정말 좋아해서 좋은 건지 그저그러니까 좋은 건지 잘 모르겠다구요. 배우자나 자녀가 원하는 것이 무엇인지는 알아도 내가 정말로 간절히 원하는 건 모르는 경우도 있지요. 이럴 때는 종이에 세로로 줄을 쫙 긋고 한 쪽엔 내가 좋아하는 것들을, 다른 쪽에는 내가 싫어하는 것들 리스트를 써보세요. 그 리스트들 중에서도 정말 내가 간절히 바라는 것들에 우선순위를 매겨 보세요. 이렇게 눈에 보이도록 리스트업을 해놓으면 나라는 사람이 좀 더 선명해질 것입니다.

9주

매사에 좋고싫음이 너무 뚜렷해 곤란할 때

딱히 좋아하는 것도, 싫어하는 것도 없는 사람이 있는가 하면 이건 너무 좋고, 저건 정말 싫은 사람도 있지요. 호불호가 너무 강해 도무지 틈이 안 보이는 사람. 당신은 어느 쪽인가요? 매사에 좋고싫음이 뚜렷한 것이 절대 나쁘지 않지만 한번쯤 내가 왜 이리 호불호가 강한지 생각해보는 것도 좋을 듯합니다. 이럴 때는 내가 '~해야 한다' 또는 '~해서는 안된다' 라고 당위성을 부여해 살고 있는 부분을 한번 써보세요. 그런 후 과연 그런가, 하고 의심을 품어보세요. 과연 '아침에 일찍 일어나야 한다'가 맞는 걸까? 나는 왜, 언제부터 이렇게 생각해왔지? 그러지 않으면 어떤 일이 생길까? 하는 식으로요.

10주

감정이 메말라간다고 느낄 때

오늘 당신 기분은 어떤가요? 요즘 당신은 어떤 감정을 자주 느끼나요? 재미있는 예능 프로그램을 봐도 즐겁지 않고, 슬픈 영화를 봐도 눈물이 나지 않아 고민인가요? 지금 있는 자리를 벗어나 밖으로 나가 걸어보세요. 가볍게 산책하듯 걸으면서 하늘과 나무, 꽃, 지나다니는 사람들을 보고 듣고 느껴보세요. 15분도 좋고, 1시간도 좋습니다. 걷고 난 후 내가 보고 듣고 오감으로 느낀 것들을 스케치하듯 써보세요. 글 속에 주로 나타나는 어떤 감정이 있다면 그 감정에 당신만의 이름을 붙이고 그 감정이 나를 어떻게 이끌었는지 글을 읽으며 자신을 잘 성찰해보세요.

11주

우울감으로 인해
위축될 때

'희망적인 생각'

다 잘 될 거야. 지금은 절대 못할 것 같고 다 소용없어 보여도 난 슬픔을 이길 수 있어. 구름 뒤엔 태양이 빛나고 있어. 언젠간 태양이 다시 나타나 구름을 몰아내지. 나한테도 태양은 다시 빛날 거야. 그때까지 참고 기다리며 잘 살아보는 거야. 최선을 다해 조금씩 앞으로 나아가는 거야.

난 이 감옥에서 탈출할 능력과 힘이 있어. 다시 행복한 날이 올 거야. 지금 이 순간은 마음이 울적하고 불안과 근심 걱정 때문에 사는 게 너무 힘들어. 이해해. 하지만 언젠간 끝날 거야. 난 우울증을 이겨낼 수 있고, 이겨낼 거야. 언젠간 다시 예전처럼 걱정 없이 자유롭게 살 수 있을 거야.

겨울이 가면 봄이 오는 법, 때가 되면 내 마음에도 새날이 찾아올 거야.

<『우울증 사용설명서』(롤프 메르클레, 생각의 날개) 46쪽> 인용

저도 우울감이 들 때 많은 도움을 받았던 책의 일부 내용입니다. 이 글을 읽고 당신의 언어로 바꿔서 써보세요. 지금 당신의 마음과 감정 상태를 혼잣말하듯, 낙서하듯이요. ♫

12주

자유로운 삶을 갈망할 때

고대 그리스 철학자 에피쿠로스는 '자기만족의 가장 큰 열매는 자유이다.' 라고 말했습니다. 자유로운 삶을 바라지 않는 사람은 아무도 없겠지만 무엇이 자유인가에 대해서는 사람마다 생각이 다르겠지요. 자, 당신이 생각하는 자유란 무엇인가요? 자유의 정의를 내려보고 나는 과연 언제 자유롭다고 또는 자유롭지 않다고 느끼는지 구체적으로 써보세요. 그런 후 자유로운 삶을 살기 위해 당신이 노력하고 결단해야 할 것이 있다면 함께 써보세요.

13주

삶의 의미를 찾고 있을 때

정신과 의사 어빈 D. 얄롬의 회고록 『비커밍 마이셀프』에서 저자는 유한한 삶 속에서 의미를 찾고자 애쓰며 방황하는 사람들에게 이런 연습을 하게 합니다.

'먼저 종이 위에 줄을 하나 쭉 긋습니다. 그런 후 한쪽 끝에는 출생, 다른 쪽 끝에는 죽음이라 적습니다. 그 줄 위에 당신이 지금 어디에 있는지 표시하고 그 그림에 대해 명상합니다.' (어빈 D. 얄롬 『비커밍 마이셀프』 시그마프레스 2018, 211쪽 인용)

자, 당신도 위 방법대로 종이 위에 줄을 긋고 출생과 죽음 사이에서 지금 어디에 서 있는지 표시한 후 그 자리의 이름을 붙여주세요. 그런 후 왜 그렇게 생각하는지, 이 연습이 당신에게 준 의미는 무엇인지도 덧붙여 써보세요.

2장

가족으로 인해 힘들고 지칠 때

14주

부모님에게 못다한 말이 있을 때

살아계신, 또는 이미 돌아가신 부모님을 마음 속에 가만히 떠올려봅니다. 그리고 그분들께 하고싶은 말을 생각해봅니다. 그것은 좋은 말일 수도 있고 원망어린 말일 수도 있습니다. 당신 마음 속에 있는 말들을 다 끄집어내어 그분들께 부치지 않는 편지를 써보세요. 절대 그분들은 당신 편지를 읽을 수 없습니다. 솔직하게 그동안 살면서 하고 싶지만 미처 하지 못한 이야기들을 봇물 터지듯 확 쏟아내어 보세요. 울고 싶다면 실컷 울어도 좋고, 소리를 지르고 싶다면 그렇게 하셔도 좋습니다. 그렇게 글을 쓰는 동안 마음이 한결 가벼워지며 부모님에 대한 새로운 마음이 들 수도 있을 테니까요.

15주

가족이 화목하지 않아 고달플 때

뭐 이런 가족이 있나 싶습니다. 평균 연령 47세인 세 남매가 나잇값 못하고 70을 바라보는 엄마 집으로 다시 모여듭니다. 다정함과 고상함은 찾을 수 없고 만나기만 하면 욕설과 싸움과 어이없는 일이 일어납니다. 이 가족은 앞으로 어떻게 될까요? 2013년에 개봉한 영화 「고령화 가족」의 내용입니다. 당신 가족 이야기가 아니구요. 화목하고 행복한 가정은 모두의 꿈일 테지만 실상 그렇지 못한 가족도 많이 있습니다. 당신이 원하는 행복한 가정은 어떤 모습일까요? '나는 ~ 원한다.' 라는 형식으로 내가 원하고 바라는 가족의 모습을 구체적으로 써보세요. 그런 후 화목한 가정을 위해 당신이 할 수 있는 일도 생각해보세요. 한 사람의 바람과 노력은 화목한 가정을 이루는 시초가 될 테니까요.

16주

도저히 내 남편(아내)을 이해하지 못할 때

'남편(아내)은 ~한 사람이다'라고 남편(아내)을 칭찬하는 문장을 30개 써봅니다. 도저히 생각이 안 난다면 했던 말을 또 해도 좋습니다. 어쨌든 30개는 다 써보세요. 그런 다음 반대로 남편(아내) 입장에서 남편(아내)이 나를 칭찬할 것 같은 문장 '아내(남편)는 ~한 사람이다' 30개를 써보세요. 역시 생각이 안 날 경우 했던 말을 무한반복해도 좋습니다. 이렇게 쓰다보면 어느 순간, 아하 이래서 남편(아내)이 이랬구나, 이해하는 마음이 들 수 있답니다. ♫

17주

자녀가
태어났을 때

부모가 된다는 것은 기쁘면서도 한편으론 두려운 일입니다. 내가 과연 아이를 잘 키울 수 있을까, 걱정되고 떨리는 마음이 드는 게 당연하지요. 자, 여러분의 부모를 생각해보세요. 그들은 여러분에게 어떤 부모였나요? 부모가 되었다면 먼저 여러분의 부모를 다시 생각해보는 시간부터 가져야 합니다. 그래야 부모가 당신한테 주었던 좋았던 영향을 내 자녀에게도 줄 수 있고, 반대로 물려주고 싶지 않은 것은 경계하게 만들 수 있을 테니까요. 당신의 부모에 대해 솔직하게 고백해보세요. 내가 부모님과 닮은 부분이나 배우고 싶은 부분 또는 닮고 싶지 않은 부분들도 솔직하게 써보세요. 내 자녀가 나에게서 어떤 부분을 닮았으면, 닮지 않았으면 하고 바라는 부분도 함께 써봅니다.

18주

스마트폰을 손에서 놓지 못하는
자녀의 머릿속 지도가 궁금할 때

2015년 개봉한 애니메이션 영화 「인사이드 아웃Inside Out」은 기쁨, 슬픔, 버럭, 까칠, 소심이라는 5개의 감정이 사람의 머릿속에 살면서 그 사람을 컨트롤한다는 내용입니다. 이 영화는 기쁨만이 아니라 슬픔도, 버럭하는 성질도, 까칠한 성질도, 소심한 성격도 모두 제 역할을 하면서 한 사람을 살아가게 한다고 이야기하고 있지요. 2024년에는 「인사이드 아웃 2」가 개봉돼 사춘기로 성장한 주인공 머릿속에 불안과 질투, 당황 같은 새로운 감정이 첨가된 장면도 볼 수 있었습니다. 자, 그럼 당신 자녀의 머릿속에는 어떤 감정들이 존재하고 있을지 생각해보세요. 그리고 그 중 지금 당신 자녀를 움직이게 하는 건 주로 어떤 감정일까도요. 그 감정들이 제각각 자기 할 일들을 잘 감당하며 자녀를 어느 한 감정으로 치우치지 않게끔 하려면 부모로서 당신이 자녀를 어떻게 도와주어야 할지 글로 쓰며 다짐해보시지요. ♫

19주

사춘기 자녀를 보며 가끔
내가 낳은 자식이 맞나 싶을 때

『내 이름은 자가주』라는 그림책이 있습니다. 어느 부부에게 아이가 태어납니다. 처음에는 그렇게 사랑스럽던 아이가 점차 자라나면서 새끼 대머리독수리로 변하는가 하면 새끼 코끼리가 되기도 하고 멧돼지로, 마침내 털복숭이로 변해버립니다. 부모가 이제 더 이상 감당못하겠다고 두손 두발 다 들 때쯤 아이는 말끔한 청년이 되어 사랑하는 사람을 만납니다. 그러나 이제 부모가 늙은 갈색 펠리컨으로 변합니다. 이 책대로라면 당신의 아이는 지금 어떤 동물 상태입니까? 그렇게 생각하는 이유도 적어보세요. 그러나 잊지 마세요. 지금 혹시나 끔찍한 상태에 있다 해도 언젠가는 말끔한 청년으로 아이는 변한다는 것을요.

20주

부모의 바람대로 살지 않는 자녀로 인해 마음이 복잡할 때

당신 자녀를 격려하는 글을 써보세요. 잘한 결과에 대한 칭찬이 아닌 어떤 일을 이루기 위한 과정을 격려하는 글입니다. 때로 과한 칭찬은 자녀에게 부담이 될 수 있지만 순간순간 격려하고 힘주는 말은 가뭄에 단비 같은 새힘을 줄 것입니다. 자녀가 둘 이상이라면 각각 자녀에게 따로따로 쓰세요. 그리고 그 글을 날마다 읽어주세요. 얼굴을 마주할 시간과 여건이 되지 않는다면 스마트폰 메시지로 전해보세요. 글을 쓰는 동안 자녀에 대한 당신의 마음상태를 깊이 들여다보며 조금더 가벼워질 것입니다.

21주

자녀가
결혼할 때

요즘에는 신랑 또는 신부 부모가 자녀의 결혼식 주례를 맡기도 합니다. 자, 결혼하는 자녀에게 당신이 들려주고 싶은 주례사를 직접 써보세요. 다른 누구보다 자녀에 대해 잘 알고 사랑하는 부모인 당신이 자녀의 결혼식에서 전할 진솔한 주례사. 형식적이고 상투적인 주례사가 아닌 세상에 단 하나밖에 없는 기발한 주례사. 글을 쓰는 동안 그동안 잘 성장해온 자녀에 대한 고마움이 솔솔 올라오지 않을까요?

22주

시집 또는 처가와
갈등할 때

힘이 듭니다. 결혼 후 만난 시집 또는 처가 식구들과 잘 지내고 싶은데 살아온 배경과 문화가 다르니 이해되지 않는 부분도 많고 때로는 정말 왜이렇게 나를 힘들게 할까, 원망어린 마음도 생깁니다. 남편이나 아내에게 내 힘듦을 이야기해도 해결은커녕 오히려 더 갈등이 증폭됩니다. 그렇다면 신문지나 이면지 등 버릴 만한 종이 위에 시집 또는 처가로 인해 힘든 내 이야기를 막 쏟아내보세요. 아무도 이 글을 보지 않으니 쓰고싶은 대로, 말하고 싶은 대로 다 쓰셔도 됩니다. 다 썼다고 여겨질 때 내가 쓴 글 위에 크레파스나 색연필 등을 이용해 덧칠을 해보세요. 모래 위에 쓴 글씨가 밀려온 바닷물에 깨끗이 씻기듯 말이지요. 그렇게 감정의 덩어리들을 훌훌 털어냈다면 그 종이를 찢어버리세요. 속 시원하요.

23주

반려동물(식물)과
함께 살 때

공원을 산책하다보면 반려견과 함께 걷는 사람들을 자주 보게 됩니다. 강아지, 고양이, 물고기 같은 반려동물이나 반려식물을 키우고 돌봐주며 행복을 느끼는 사람들도 많이 있지요. 그런 당신, 당신의 반려동물 또는 반려식물에 대한 이야기를 써보세요. 그들이 당신과 함께 살기 시작한 때는 언제인지, 어떤 이유로 함께 살게 되었는지, 그들은 어떤 특성이 있는지, 그들이 당신에게 주는 행복이나 고충은 무엇인지에 대해서요. 당신과 함께 사는 새로운 가족을 한번 소개해주시지요! ♫

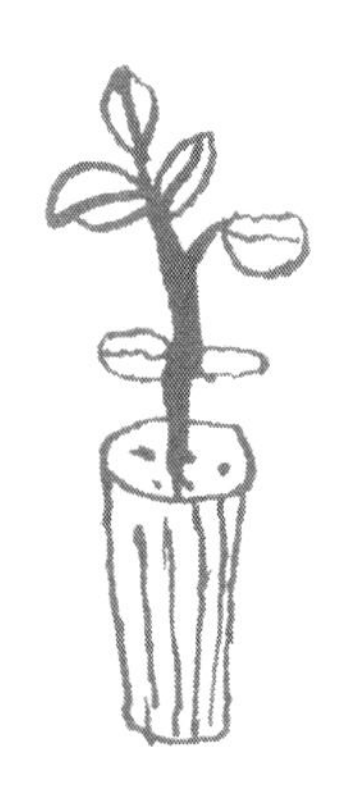

3장

사회(관계) **생활이** 힘겹다고 느낄 때

24주

사람관계로 인해
힘들 때

2003년에 출간된『성공하는 사람들의 7가지 습관』에는 그 유명한 '감정은행계좌'라는 개념이 나옵니다. 사람들과의 관계에는 서로 주고받는 감정은행이란 것이 있는데, 이 계좌에 잔고가 많아 플러스가 되면 어떤 나쁜 말을 들어도 부정적인 생각보단 좋은 쪽으로 해석하여 관계가 잘 유지되는 반면 계좌에 잔고가 부족하거나 마이너스가 되면 똑같은 말을 들어도 좋은 쪽보단 나쁜 쪽으로 생각하게 되고 결과적으로 나쁜 감정이 생겨 인간관계가 원활치 않게 된다는 것이지요. 지금 마음 속에 가장 먼저 떠오르는 사람이 있나요? 그 사람과의 감정은행계좌는 어떻게 흘러가고 있나요? 플러스, 마이너스를 잘 따져 써보세요. 내가 왜이리 그 사람에게 각박한 마음이 드는지 이해될 수도 있을 겁니다. 그런 후 깨닫게 될 것입니다. 그 사람으로 인해 힘든 건 내 탓만은 아니었다는 것을요.

25주

믿었던 사람에게
배신당했을 때

믿었던 그 사람은 왜 당신을 배신했을까요? 당신은 왜 그 사람에게 배신을 당했을까요? 힘들고 억울한 마음을 잠시 가슴 밑바닥에 묻어두고 가상으로 그 사람을 인터뷰해봅니다. 당신이 객관적인 기자가 되어 그를 인터뷰해보는 거예요. 그러다보면 당신과 그 사람 사이를 조금 더 세밀히 들여다볼 수 있게 되고 둘 사이 관계의 본질을 꿰뚫어볼 수 있게 될 것입니다.

자다가도 이불킥을 할 정도로 화 나는 대상이 있을 때

당신이 생각하는 '나쁜 사람' 리스트를 한번 적어봅니다. 내가 힘들여 만든 서류를 보지도 않고 퇴짜 놓는 상사, 내 돈을 빌려가서 갚지 않는 친구, 다른 사람은 생각지 않고 자신만 편하게 주차해놓고 연락처도 없는 차 주인 등등. 당신이 살면서 나쁘다고 생각하고 은밀히 미워한 사람들은 없습니까? 당신은 왜 그들을 나쁘다고 생각할까요? 그들에게 화나는 이유를 조목조목 하나하나 써봅니다. 그런 후 모든 이유 앞에 '나는~'을 붙여 읽어봅니다. 혹 그렇게 읽어도 말이 되진 않으신가요?

27주

지금 하고 있는 일 또는 직업에 만족하지 못할 때

일단 무엇이 나를 지금 하고 있는 일이나 직업에 만족하지 못하게 하는지 그 목록을 구체적으로 써봅니다. 낮은 보수인지 과도한 근무시간인지 같이 일하는 동료들인지요. 그 목록 중 내가 해결할 수 있는 부분과 그렇지 못한 부분을 나눠봅니다. 해결가능한 부분에는 내가 할 수 있는 해결 방법도 함께 써봅니다. 만약 다른 일이나 직업을 찾고 싶다면 내가 하고싶은, 할 수 있는 일이 무엇인지 생각하고 어떤 노력을 기울일지에 대해 구체적으로 쓰면서 앞날을 계획해 보시지요. ♫

28주

원하지 않은 이별을 경험했을 때

만나고 헤어지는 게 인생사라고 하지만 이별은 언제나 힘겹습니다. 늘 찰떡처럼 붙어다니던 친구 사이가 틀어지거나 영원할 줄 알았던 연인 관계가 깨어지기도 합니다. 예측할 수 없고 원하지 않았기에 이별은 더 큰 상실과 슬픔을 가져다주지요. 그러나 살면서 원하지 않은 이별을 경험해보지 않은 사람은 없기에 이별 이후 다시 건강한 나를 찾아가야겠지요?

> 너 떠나간 지/세상의 달력으론 열흘 되었고/내 피의 달력으론 십 년 되었다//
> 나 슬픈 것은/네가 없는데도/밤 오면 잠들어야 하고/끼니 오면/입안 가득 밥알 떠 넣는 일이다//
> 옛날옛날적/그 사람 되어가며/그냥 그렇게 너를 잊는 일이다//
> 이 아픔 그대로 있으면/그래서 숨 막혀 나 죽으면/원도 없으리라//
> 그러나 /나 진실로 슬픈 것은//
> 언젠가 너와 내가/이 뜨거움 까맣게 /잊는다는 일이다//

문정희 시인의 시「이별 이후」(『한계령을 위한 연가』 시인생각, 2013) 전문입니다. 이 시를 목소리로, 마음으로 읽은 후 원하지 않은 이별을 경험한 당신의 언어로 시를 다시 써보세요.

29주

타인과 소통이 잘 안 되어 답답할 때

바야흐로 소통이 중요한 시대라는 데 동의하지 않는 사람은 없을 겁니다. 우리는 말로, 글로, 몸짓과 표정으로, SNS로 타인과 소통하며 살아갑니다. 그러나 잘 되던가요? 나는 분명 아~라는 말을 하고 있는데 상대방은 어~라는 말로 받아들이고, 나는 그저 말을 안하고 있을 뿐인데 상대방은 내가 화를 낸다고 생각하고. 뭔가 조금조금씩 어긋나고 대화가 안된다는 생각에 답답한 경우가 있을 겁니다.

> 가깝게 지내는 사이일수록 문제를 해결하지 않고 피하기만 하면 겉으로는 평온하게 지낼 수 있을지 몰라도 속으로 곪아터지는 법이다. 감정을 표현하라는 것은 감정을 억누르거나 폭발시키지 않고 상대방이 알아들을 수 있게 대화를 하라는 것이다. 평소에 사소한 일이라고 생각해서 감정을 표현하지 않고 감추는 습관이 들면 정작 중요한 일이 생겼을 때 대화로 해결할 수 없게 된다. 그러다 보면 마음에 응어리가 생기고 마치 마법에 걸린 것처럼 우울한 기분에서 헤어나지 못하게 된다. 결국 스스로 의도하지 않은 방식으로 갑자기 감정을 폭발하는 결과를 불러온다.(존 A. 샌포드 『우울한 남자의 아니마, 화내는 여자의 아니무스』 80쪽 인용, 아니마, 2013)

위 글을 읽고 타인과 관계에서 당신이 취하는 문제해결방법은 무엇이

었는지 종이에 표현해보세요. 당신의 대화방식이 소통에 어떤 영향을 끼치고 있는지도 깊이 생각하는 시간이 되길 바랍니다.

30주

선택장애라 여겨질 만큼
선택이 힘들 때

중국음식점에서 가장 큰 고민은 자장면과 짬뽕 중 어느 것을 선택할까가 아닐까요? 매번 선택이 어려운 사람들을 위해 짬짜면이라는 복합메뉴도 나왔을 정도지요. 메뉴를 고르는 일도, 쇼핑을 하는 일도, 직업이나 진로를 선택하는 일도 참 어렵습니다. 무언가를 선택해야 할 때 오래도록 망설이고 선뜻 하나를 택하지 못하는 사람들이 참 많습니다. 당신도 그런가요? 당신이 어떤 것을 선택할 때 기준점은 무엇인지 한번 생각해보세요. 그렇게 선택한 결정이 당신 삶에 어떤 영향을 주고 있나요? 어려우시다구요? 그럼 과거로 돌아가 내가 인생의 어느 한 순간, 그때 가지 않은 길을 생각해보고 그 결정이 지금의 나에게 어떤 영향을 주었는지 생각해보는 글쓰기를 한다면 당신의 선택 기준을 알 수 있을 것입니다.

31주

알 수 없는 불안감에 사로잡힐 때

지금 이 순간 당신이 몰두하고 있는 일이나 사람, 상황이 있습니까? 그 일이나 사람, 상황을 생각하면 염려가 되고 걱정이 되나요? 그 염려와 걱정을 구체적인 언어로 표현해 보세요. 그 일과 사람, 상황이 가져올 수 있는 가장 나쁜 결과는 무엇일지도 상상해 써보세요. 정말 그런 결과가 나타날 확률은 과연 몇 퍼센트일까요? 형체가 없이 막연한 불안감에 구체적 이름을 주세요. 내가 느끼는 불안감에 이름을 불러줄 때 안개 걷히듯 불안이 사라질지도 모를 테니까요.

32주

타인의 말에 자주 상처 받을 때

당신은 외향적인 사람입니까? 아니면 내향적인 사람입니까? 쉴 때 혼자 조용히 지내며 내부에서 에너지를 충전한다면 내향적이며 에너지를 외부에서 활동하며 주로 얻는다면 외향적인 사람일 것입니다. 당신은 당신 자신을 어떻게 알고 있습니까? 어릴 적부터 부모나 선생님들, 주위 어른들에게 많이 들어왔던 말들 중 기억나는 것들을 적어보세요. 그 말들이 나를 어떻게 규정해 왔는지 생각해보시고 당신과 맞지 않다고 생각되는 부분들은 지워보세요. 당신이 지금 다른 사람들의 말에 민감히 반응하고 상처받는 이유가 당신이 어려서부터 들었던 많은 말들 속에 갇혀서일지도 모르니까요. ♫

나 요즘 힘들다는 말을
입버릇처럼 할 때

현재의 힘든 상황을 솔직하게 써봅니다. 당신의 감정, 상황, 처한 현실 등을요. 아무도 당신 글을 보는 사람은 없습니다. 글에 당신 마음을 다 털어놓아도 됩니다. 글을 다 쓴 다음 지금 내가 이렇게 힘드니 누군가에게라도 도와달라고 부탁해도 괜찮다는 말을 의도적으로 써보세요. 힘들 때 힘들다고 말하고 도움을 청하는 건 자존심 상하는 일이 아닙니다. 당신 옆에 당신의 손을 잡아줄 누군가가 기다리고 있을지 모릅니다. 그 누군가에게 두서없이 털어놓는 넋두리 같은 솔직한 글을 써보면 마음이 한결 가벼워질 것입니다.

34주

감정표현을 속시원히 하지 못할 때

사랑한다, 밉다, 기쁘다, 슬프다, 즐겁다, 화가 난다, 분하다, 만족한다 등 사람은 다양한 감정을 가지고 있습니다. 기쁘면 기쁜 감정을 표현하고, 화가 나면 화나는 감정을 적절히 잘 표현하는 사람이 있는가 하면 감정을 밖으로 표현하지 못하고 안으로 삼키는 분들, 그래서 언젠가 자기도 모르는 새 그 감정이 터져나와 자신과 주변 사람들 관계를 힘들게 하는 분들도 계시지요. 지금 종이에 당신이 알고 있는 감정 단어를 하나씩 나열해 보세요. 기쁘다 슬프다 즐겁다 억울하다 등등 감정을 나타내는 단어입니다. 생각이 아니구요. 그런 다음 지금 당신이 느끼는 감정에 가장 적합한 단어를 이용해 짧은 글을 지어보세요. '나는 지금 위층에서 쿵쿵 거리는 소리가 너무 심해 폭발하기 일보 직전으로 짜증이 나!' 이런 식으로요. 내 감정에 적절한 이름을 붙여준다면 언젠가는 건강하게 속시원히 표현될 수 있을 겁니다.

35주

SNS 속 다른 사람들 삶에
질투를 느낄 때

“누군들 자기 인생이 마음에 들까. 그런 사람이 몇이나 될까. 알면서도 나는 내 인생이 정말 마음에 안 든다.” 2008년 방송된 드라마「엄마가 뿔났다」 중 주인공 김한자의 대사 일부분입니다. 그런데 요즘 SNS 속에는 자기 인생이 참 마음에 드는 사람들만 있는 것 같습니다. 맛있는 음식과 좋은 여행지와 예쁜 옷과 평범하지 않은 일상. 늘 꽃길로만 걷는 것 같은 사람들 모습에 살짝 질투를 느끼는 사람, 저 말고 또 있으시겠지요? SNS에 올리진 않지만 당신에게도 펼쳐져 있는 특별한 하루하루를 그림일기로 나타내보세요. 어제 또는 오늘, 기억나는 한 가지를 그림으로 그리고 몇 줄 일기를 써보는 겁니다. 어린시절 했던 방학숙제처럼요. 누군가의 특별한 하루보다 소소하지만 감사한 당신 삶을 만나게 될 겁니다.

해야 할 일이 너무 많아
힘에 부칠 때

직장에서도, 집에서도 일이 산더미 같습니다. 해도해도 일은 끝나지 않고 나는 점점 지쳐갑니다. 살기 위해 일을 하는 건지 일하기 위해 사는 건지 알 수가 없습니다. 열심히 일한 당신 떠나라, 던 광고 카피는 남의 얘기만 같습니다. 그렇다고 과도한 일로 인해 쌓인 스트레스를 그냥 두면 안되겠지요? 자, 당신만의 스트레스 해소법은 무엇인가요? 당신의 스트레스를 확 날려버릴 힐링 푸드나 영화 장르, 드라마, 장소, 사람, 게임, 음악 또는 미술 등등. 당신의 기분을 조금이라도 나아지게 하고 스트레스를 풀어주는 것들을 떠올리며 글을 써보세요. 글을 쓰는 동안 어깨의 짐이 조금은 가벼워지실 겁니다.

37주

사람 사이에 경계를
세워야 할 때

결론적으로 말하면, 저는 사람 사이의 경계를 중요하게 생각합니다. 아무리 친한 사이라도 지켜야 할 선이 있고, 지키고 싶은 영역이 있으며, 지켜줘야 할 시간이 있다고 생각합니다. 저와 비슷한 사람들은 깜박이도 켜지 않은 채 갑자기 훅 들어오는 관계를 힘겨워하지요. 친절하고 좋은 사람, 너무 좋은 말이지만 이 말에 갇혀 정작 지켜야 할 나는 지금 힘겹지 않으신가요? 그럴 때 노인경의 그림책 『곰씨의 의자』(문학동네, 2016)는 우리에게 많은 질문을 던져줍니다. 이 책을 읽고 '내가 만약 곰씨였다면~' 으로 시작하는 글을 써보세요. 책 속 어떤 주인공들에게 보내는 편지 형식도 좋습니다. ♫

4장

무상한 세월(시간) 속에 불안하고 두려울 때

38주

열심히 산다고 살았는데 별로 이룬 게 없는 듯할 때

내 인생의 자서전을 쓴다고 생각해봅시다. 제목은 뭘로 할지 어떤 내용을 쓸지 생각해보고 지금까지의 자기 인생을 정리하는 글을 써보세요. 길이는 중요하지 않습니다. 지금까지 살아온 인생을 돌아보고 자신을 다독이는 시간이면 충분합니다. 『샘에게 보내는 편지』(대니얼 고틀립, 문학동네)라는 책이 있습니다. 전신마비인 심리치료사 할아버지가 자폐증인 손주 샘에게 편지를 쓰는 형식으로 자신의 삶을 회고하는 내용이 제 마음에 감동을 주었지요. 당신도 자녀든 손주든 내 이야기를 들려주고픈 누군가를 떠올리며 그에게 보내는 편지 형식으로 당신 이야기를 써보세요. 자서전 끝에는 만약 자신의 묘비에 글을 쓴다면 어떻게 쓰고 싶은지 묘비명도 함께 써보세요. 정말 당신 삶에 남은 게 없을까요?

39주

긴 인생에서 잠시 숨고르기가 필요할 때

흔히 인생은 마라톤과 같다고 합니다. 출발점은 같아도 달리는 속도에 따라 마지막에 들어오는 순서는 제각각인 마라톤. 긴 여정 중에는 한때 나보다 앞서가던 사람이 언젠가는 내 뒤에 있기도 하고, 빠르게 전력질주하다 보니 금세 다리에 쥐가 나 의료진의 도움을 받아야 하는 경우도 있습니다. 당신도 모르게 앞으로만 질주했던 당신을 잠시 멈춰서서 숨을 돌리게 하는 그 무언가가 있을 것입니다. 성공했다고 생각하는 당신보다 더 성공한 듯한 동창일까요? 어느 인문학 강좌에서 들었던 강사의 폐부를 찌르는 듯한 말 한마디였을까요? 잠깐 멈춰서서 당신을 돌아보세요. 지금 이 순간, 당신을 멈춰서게 만든 것은 무엇인지 그것에 대해 솔직한 글을 써보세요.

40주

중년기가
되었을 때

「미쓰 와이프」(2015)라는 영화에서 갑자기 신경질적으로 변한 엄마에 대해 친구들과 의견을 나누던 여섯 살짜리 꼬마가 친구로부터 갱년기라는 말을 듣습니다. 우리 엄마도 그래, 갱년기엔 원래 그래, 라는 말과 함께요. 그 말을 들은 꼬마는 약국에 가서 갱년기 약을 달라고 합니다. 약사는 순수한 꼬마의 동심을 짓밟지 않고 약을 싸주며 어머니에게는 그냥 비타민 드세요, 하라고 합니다. 40대 중반부터 갑자기 몸이 더워지고 열이 화끈화끈 나며 감정기복도 심해 좋았다 싫었다 반복하는 여자들의 증상을 갱년기라고 흔히 말합니다. 종종 폐경과 함께 오므로 여자로서의 자존감을 상실하여 우울증에 시달리는 경우도 있습니다. 사춘기를 누구나 맞이하듯 여자라면, 아니 남자들도 거쳐야 할 관문 같은 인생 중년기가 되었을 때 어떤 마음을 가져야 편안해질까요. 인생 2막인 중년기를 맞이하는 당신의 각오와 포부를 긍정적으로, 의도적으로라도 밝고 희망찬 언어로 써보시면 어떨까요?

몸 여기저기 아픈 데가 많다고 느낄 때

종이에 당신의 몸 그림을 그려보세요. 세세히 그릴 필요는 없고 머리부터 발끝까지 윤곽만 그리시면 됩니다. 그리고 당신이 아프거나 불편하다고 생각되는 부분들을 색연필로 표시해보세요. 그 부분이 말을 한다면 당신에게 어떤 말을 할 것 같은가요? 당신은 그렇게 말하는 그 부분을 어떻게 도와줄 수 있을까요? 순서대로 한번 당신의 몸을 관찰하는 글쓰기를 해보세요. 그런 후 당신의 몸을 토닥토닥 어루만져주세요.

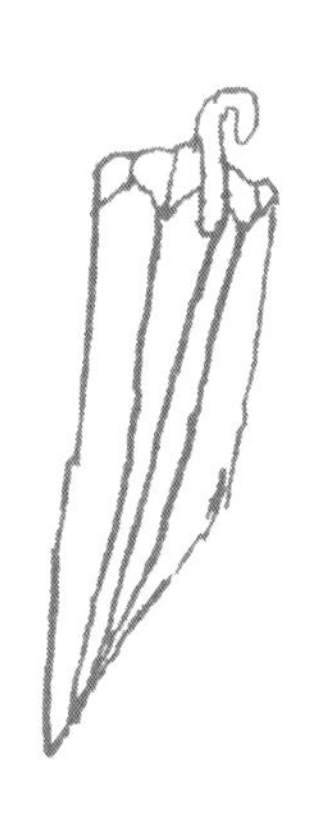

42주

지나간 시간에 아직 미련이 남아 있을 때

지나간 시간은 아름답게 느껴집니다. 아무리 힘들고 어려웠던 시절도 지나고보면 좋은 추억으로 남기도 하지요. 그런데 이미 지나가버린 과거의 영광을 붙잡고 지금 현재를 소홀히 살고 있거나 지나가버린 시간에 아직도 미련을 버리지 못하고 있지는 않으신가요? 당신의 사진첩이나 스마트폰 갤러리에서 옛날 사진 중 하나를 골라보세요. 그런 후 가능하다면 다시 그때 그 자리로 돌아가 똑같은 포즈로 사진을 찍어보세요. 예전 모습 그대로 남아있는 곳이 많진 않을 테니 가급적 비슷한 장소면 됩니다. 그런 후 두 사진을 비교해보고 사진 속 두 사람끼리 주고받는 대화글을 써보세요. 지나간 시간 속 나와 현재의 나는 서로 어떤 말을 주고받을까요?

반복되는 일상 속에서
행복의 의미를 찾을 때

> 퇴근하는 길에/동네 마트에 들러 두부 한 모를 산다/두부 한 모는 별것도 아닌데/벌써 저녁이 맛있어지고 따뜻해진다//오늘 저녁엔/두부같이 말랑말랑한 눈이 내리고/우리 집은 두부찌개처럼/보글보글 끓을 것만 같다//두부 한 모를 사가는 일은/별일도 아닌데/벌써 백열등이 환히 켜지고/둥근 밥상에 둘러앉은/행복한 저녁이 보인다//내가 사들고 가는/두부 한 모의 행복을/코가 예민한 우리 집 강아지가/벌써 눈치채고/반갑게 짖어댄다//(이준관, 『험한 세상 다리가 되어』 중 「두부 한 모의 행복」 13쪽 인용, 밥북, 2023)

이 시를 읽었을 때 가슴에 초록 잉크 한 방울이 퍼져나가는 듯한 행복한 기분을 느꼈습니다. 아, 그렇지. 이런 게 행복이지, 하는 아하의 순간이었다고나 할까요. 당신이 느끼는 행복은 어떤 모습인가요? 행복에 대한 당신만의 정의를 내려보고, 늘 반복되는 일상 속에서 문득 행복하다고 느껴지는 순간이 있다면 그 부분을 글로 써보세요. 이 시처럼 시 형식으로 써도 좋고, 자유로운 에세이도 좋습니다.

사는 게 재미 없다고
느껴질 때

매일매일 즐겁게, 새로운 재미와 배움을 찾아다니며 사는 사람들도 많지만 반대로 어제가 오늘 같아 지루하고, 내일도 오늘 같을까봐 미리 한숨부터 쉬는 분들도 계시겠지요. 늘 전투하듯 열심히 살 수 없고, 그렇게 살다보니 잠시 방전이 될 수도 있을 겁니다. 그럴 때 심심풀이가 필요합니다. 당신을 즐겁게 할 만한 새로운 취미나 운동, 소일거리 등 심심풀이로 할 수 있는 일을 찾아보세요. 뜨개질도 괜찮고, 피클볼, 줍깅도 괜찮습니다. 그 일을 하고난 뒤에 느껴지는 몸과 마음의 변화를 일기처럼 써봅니다. 그림 일기처럼 그림과 짧은 글로 쓰셔도 되지요. 그러다 보면 새로운 삶의 활력이 생겨날 것입니다.

45주

내가 미래에 살고 싶은 집을 꿈꿀 때

당신이 살고 싶은 곳과 집에 대한 당신의 꿈을 한번 적어보세요. 가능하면 구체적으로 쓰는 게 중요합니다. 어떤 곳에서 어떤 모양의 집을 짓고 거실은 어떻게 만들며 창문은 어떻게 달아 붙일 것인지 상상하여 집을 지어봅니다. 그 집에서 당신은 누구와 어떤 삶을 살고 싶은지 써보세요. 이런 꿈을 쓰기 전에 먼저 그동안 당신이 살았던 집에 대해 잊혀지지 않는 어떤 기억이 있다면 그 이야기를 먼저 쓰셔도 좋습니다. 당신이 성장한, 당신을 성장시킨 집에 어떤 이야기가 숨어 있을까요?

46주

시간이 너무 빨리 지나간다고 느낄 때

시간이 정말 살 같이 흘러갑니다. 하루 이틀은 참 더딘 것 같은데 벌써 한 달이 지나고, 어느새 새해가 다가옵니다. 속절없이 빠르게 흘러가는 세월에 멀미가 느껴질 정도라면 너무 과장된 말일까요. 시간이 빨라도 너무 빨리 지나간다고 느껴 내가 뭘 하며 살아왔는지 되돌아볼 때 그동안 살면서 내가 얻은 것과 잃은 것에 대해 글을 써보세요. 시간이 지남에 따라 얻게 된 것이 있는가 하면 어쩔 수 없이 잃어버린 것들도 있지요. 이것들에 대해 조용히 글을 쓰면서 시간 속에 유한한 삶에 대해 묵상해보면 어떨까요?

현실의 벽 앞에 절망할 때

> 저것은 벽/어쩔 수 없는 벽이라고 우리가 느낄 때/그때/담쟁이는 말없이 그 벽을 오른다/물 한 방울 없고 씨앗 한 톨 살아남을 수 없는/저것은 절망의 벽이라고 말할 때/담쟁이는 서두르지 않고 앞으로 나아간다/한 뼘이라도 꼭 여럿이 함께 손을 잡고 올라간다/푸르게 절망을 다 덮을 때까지/바로 그 절망을 잡고 놓지 않는다/저것은 넘을 수 없는 벽이라고 고개를 떨구고 있을 때/담쟁이 잎 하나는 담쟁이 잎 수천 개를 이끌고/결국 그 벽을 넘는다(도종환, 『담쟁이』 중 「담쟁이」 시인생각, 2012)

지금 당신 앞을 가로막고 있는 벽은 무엇인가요? 당신은 그 벽의 이름을 무엇이라 부르고 싶나요? 벽 앞에서 당신은 어떻게 하고 있나요? 시인 도종환 님의 이 시를 눈으로, 마음으로 잘 읽어보시고 당신의 벽을 넘을 수 있는 방법을 글로 쓰면서 찾아보세요.

48주

누군가의 죽음을 온전히
애도하고 싶을 때

부모나 형제, 또는 배우자의 죽음은 인생에 큰 상실감을 안겨주지요. 그 사람은 나를 몰라도 나는 좋아하거나 존경했던 유명인의 죽음도 마음에 충격을 줍니다. 그뿐인가요? 지진이나 홍수 같은 자연재해로, 사회 참사로 애꿎은 생명들이 죽음을 당하는 걸 볼 때 사회 공동체의 한 사람으로서 마음이 아파옵니다. 당신에게 깊은 마음의 상처와 상실감을 준 죽음을 온전히 애도하는 글을 써보세요. 그에게 보내는 부칠 수 없는 편지도 좋고, 그를 생각하는 마음이 녹아 있는 시도 좋고, 그 어떤 형식도 좋습니다. 기억하고 싶은 한 생명의 죽음을 온전히 슬퍼하고 애도해야 내가 오늘을 살아갈 힘도 비로소 생길 것입니다.

49주

늙어간다는 것이 서럽게 느껴질 때

사람은 누구나 늙습니다. 지금 당신의 상태를 객관적으로 살펴보세요. 자도자도 몸이 피곤할 수 있습니다. 노안이 와서 돋보기가 필요할지도 모릅니다. 젊은 사람들이 하는 말들을 알아듣지 못할 수도, 스마트폰을 원활하게 사용 못할 수도 있습니다. 현재 당신의 상태를 구체적이고 자세하게 써보세요. 그리고 끝에 이렇게 적는 겁니다. '그래, 나 젊지 않다, 늙었다. 그래서 어쩌라구?' 이렇게 말입니다. 그리고 그럼에도 불구하고 아직 당신이 할 수 있는 일들도 생각해서 써보세요. 또 그 끝에는 이렇게 적는 겁니다. '와, 내가 할 수 있는 게 이렇게 많네(설사 별로 없다 할지라도)!' 라고 말입니다.

50주

한 번쯤 다른 인생을 살아보고 싶을 때

「아빠는 딸」「럭키」「스위치」「내 안의 그놈」같은 영화의 공통점은 무엇일까요? 네, 맞습니다. 모두 바디 체인지, 주인공들의 몸이 바뀌어 다른 사람으로 살아본다는 내용이지요. 다른 사람으로 살아봤더니 이전에는 이해못했던 서로가 서로를 이해하게 되더라, 하는 결말로 대개 끝이 납니다. 이렇게 살기보다 저렇게 살고 싶다, 나도 한 번쯤 다른 사람으로 살아보고 싶다고 꿈꾸시는 당신은 누구로 살아보고 싶으신가요? 그 이유는요? 내가 한 번쯤 살아보고 싶은 다른 인생을 정하고 그렇게 살게 된 내 삶의 한 페이지를 상상하여 써보세요. 그렇게 되면 나는 무엇을 얻고, 또 무엇을 잃게 될까요?

51주

노후가 막연히 걱정스러울 때

인생 100세 시대라고 합니다. 어쩌면 150세까지 살 수 있다고도 합니다. 몇 살까지 사느냐보다 그때까지 무얼 하고 어떻게 건강을 유지하며 사는가가 더 중요하겠지요. 당신이 생각하는 행복한 노년의 비결은 무엇인가요? 당신은 어떤 모습으로 노년을 살아갈 것 같은가요? 자, 당신의 90세 생일 이야기를 구체적으로 상상하여 쓰면서 노후에 대한 걱정에서 벗어나보시지요.

52주

죽는다는 생각만으로도 두려워질 때

죽음은 저에게 두려움의 대상이었습니다. 예닐곱 살 무렵부터 저는 죽음이라는 말이 주는 어두컴컴한 공포 때문에 잠을 잘 때도 불을 끄지 못했지요. 죽음과 한 번 미리 만나본 지금은 죽는다는 것이 그렇게 큰 두려움으로 다가오지 않습니다. 메멘토 모리, 내 죽음을 기억하며 살고 있지요. 당신은 어떤가요? 죽음이란 말을 들으면 제일 먼저 떠오르는 것은 무엇인가요? 죽음에 대한 당신 최초의 기억은 또 무엇일까요? 당신은 당신의 죽음을 어디에서 어떤 모습으로 맞이하고 싶으신가요? 이 시간, 죽음에 대해 깊이 묵상해보는 글을 쓰면서 현재의 삶을 더 풍성히 사는 시간을 맞이하시길 바랍니다.

도움받은 책들

『곰씨의 의자』(노인경, 문학동네, 2016)
『관계를 읽는 시간』(문요한, 더 퀘스트, 2018)
『글쓰기로 내면의 상처를 치유하다』(이상주, 메이트북스, 2018)
『나는 나에게 좋은 사람이 되기로 했다』(이혜진, 헤리티지북스, 2023)
『나를 일으키는 글쓰기』(이상원, 갈매나무, 2021)
『나를 찾는 하루 10분 글쓰기』(조이 캔워드, 그린 페이퍼, 2020)
『나에게 쓰는 편지』(송화진, 디자인마이러브, 2017)
『날마다 글쓰기』(루츠 폰 베르더, 바바라 슐테-슈타이니케, 들녘, 2016)
『내 마음 묻기 내 마음 듣기』(김애리, 여름의 서재, 2023)
『내 삶의 네 기둥』(이혜성, 학지사, 2018)
『내 이름은 자가주』(퀸틴 블레이크, 마루벌, 2010)
『담쟁이』(도종환, 시인생각, 2012)
『당신이 옳다』(정혜신, 해냄, 2018)
『문학, 내 마음의 무늬 읽기』(진은영, 김경희, 엑스북스, 2019)
『문학으로 모든 질병을 치료한다』(이철호, 명성서림, 2015)

『명륜동 행복한 상담실』(선안남, 한빛비즈, 2015)
『모든 날 모든 순간, 내 마음의 기록법』(박미라, 그래도봄, 2021)
『비커밍 마이셀프』(어빈 D. 얄롬, 시그마프레스, 2018)
『사는 이유』(장인성, 북스톤, 2023)
『사랑만으로는 살 수 없다』(아론 벡, 학지사, 2005)
『성공하는 사람들의 7가지 습관』(스티븐 코비, 김영사, 2003)
『샘에게 보내는 편지』(대니얼 고틀립, 문학동네, 2007)
『쓰기의 감각』(앤 라모트, 웅진지식하우스, 2018)
『우울증 사용설명서』(롤프 메르클레, 생각의 날개, 2015)
『우울한 남자의 아니마, 화내는 여자의 아니무스』(존 A. 샌포드, 아니마, 2013)
『이제는 나로 살아야 한다』(한성열, 21세기북스, 2021)
『표현적 글쓰기』(제임스 W. 페니베이커, 엑스북스, 2017)
『한계령을 위한 연가』(문정희, 시인생각, 2013)
『험한 세상 다리가 되어』(이준관, 밥북, 2023)

글쓴이 소개 **이난숙**

2014년부터 도서관과 복지관, 평생학습관, 신중년센터, 힐링센터 등 자기치유 글쓰기가 필요한 곳이면 어디에서든 치유글쓰기 모임을 이끌어왔다. 자아정체감이 혼미한 중학생부터 지나온 인생을 통합하고자 하는 노년층까지 다양한 연령대 사람들과 함께 삶의 이야기를 글로 풀어내며, 글을 쓰지 않았다면 몰랐을 진정한 자신을 발견하여 스스로 치유케 하는 안내자이자 문학적 집단상담 리더로 활동중이다.

자유기고가와 출판사 편집장, 에세이 작가 등 글을 쓰고 책을 만들며 살아왔지만 나 자신만이 아닌 너와 우리 모두를 위한 치유글쓰기 이끔이로 사는 지금이 가장 행복한 저자는 누구나, 어디서나, 쉽게 자기치유글쓰기로 삶을 향상시킬 수 있도록 안내서이자 워크북인 이 책을 썼다. 이 책에서 제시한 질문 52개는 지난 10여 년 간 치유글쓰기 현장에서 만난 다양한 사람들의 글 속에 공통으로 묻혀 있던 우리네 삶의 상황과 고민들이다.

치유글쓰기와 문학상담 글힘 blog.naver.com/achl6887

한국상담대학원대학교에서 문학상담을 공부했으며 저서로는, 『7년을 살아도 이해못할 중국 사람들 이야기』 『머리카락이 없어도, 나는 참 예쁩니다』 『매일 걷는 자의 기록법, 걷기 일기 365』 성경문학치료 워크북 「성경이 필요할 때」 청소년성경문학치료 워크북 「1318 성경이 필요할 때」 등이 있다.

그린이 소개 서아진

중고등 통합 대안학교 5년 과정을 졸업했다. 연필 세밀화가 주는 정교함과 단순함을 좋아하며 현재는 디지털 드로잉을 하면서 청년시절을 살고 있다. 엄마인 글쓴이 이난숙의 책 『매일 걷는 자의 기록법, 걷기 일기 365』에 그림을 그린 것을 시작으로 이번이 엄마와 아들이 하는 두 번째 책 작업이다.